Petit-Gris l'enfant esquimau

GENEVIÈVE HURIET

Illustrations de PAWEL PAWLAK

Dla Rozalii z biblioteki.
P. P.

Chapitre 1

Loin, très loin d'ici était une banquise. Sur la banquise était un igloo. Et dans l'igloo vivaient Petit-Glaçon et ses parents.
Petit-Glaçon donnait bien du souci à son père. Il parlait, jouait comme les autres enfants. Mais il ne voulait pas chasser !

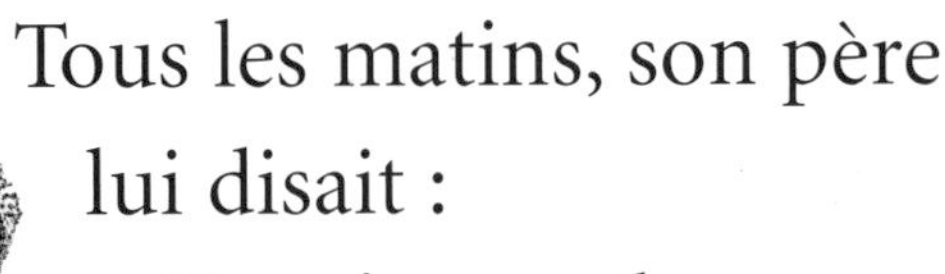

Tous les matins, son père lui disait :

– Tu m'as vu chasser cent fois ! Va, sois courageux. Rapporte-nous un beau phoque !

Alors tous les matins, Petit-Glaçon partait avec son harpon. Il partait à la chasse au phoque. Il partait pour être courageux comme son père !

Mais une fois sur la banquise, Petit-Glaçon s'asseyait sur la neige et se mettait à chanter.

Il chantait le vent, le ciel, les flocons.
Et il rentrait, sans le moindre
morceau de phoque…

Un jour, le chef
du village vint trouver
le père de Petit-Glaçon :

– Il est temps que ton fils se mette à chasser ! Obligeons-le à vivre seul quelques jours : il sera bien forcé de chasser pour se nourrir !

En soupirant, le père accepta. Ils emmenèrent alors Petit-Glaçon loin, très loin sur la banquise.

– Chasse maintenant, si tu ne veux pas mourir de faim ! dit le chef.

Et ils partirent, laissant Petit-Glaçon tout seul.

– Bon courage, mon fils ! fit son père en s'éloignant.

Petit-Glaçon retint ses larmes.
Il commença à bâtir un mur
de neige pour se protéger du vent,
en fredonnant un air triste.

Soudain, il s'aperçut qu'un gros
phoque l'écoutait avec admiration.
– J'aime ta chanson, fit-il.
Chante pour nous !

D'autres phoques vinrent écouter Petit-Glaçon. Pendant que le petit garçon chantait, ils lui bâtirent un igloo : c'était leur façon de lui dire merci.
Quand il fut fatigué, les phoques lui souhaitèrent bonne nuit :
– Repose-toi bien car demain nous t'apprendrons à pêcher.

Chapitre 2

Trois jours plus tard, les hommes vinrent voir si Petit-Glaçon avait bien chassé. Mais ils ne virent pas l'ombre d'un phoque !
Pas même le bout d'une moustache !
Le petit garçon chantait en préparant du poisson.

Le chef était rouge
de colère :
– Il n'a pas
chassé !
s'écria-t-il.
C'est un bon
à rien !

Le père du garçon n'était pas du tout
d'accord :
– Il a su pêcher
et se protéger
du froid,
protesta-t-il. C'est déjà
bien ! Laissons-le
revenir au village !

– Pas encore, dit le chef. Il doit devenir chasseur. Mettons-le plus longtemps à l'épreuve !

Et ils repartirent, laissant Petit-Glaçon loin, si loin sur la banquise.

Petit-Glaçon resta seul
avec ses amis les phoques.
Ils lui conseillèrent de garder
les arêtes de poissons et les os
d'animaux pour faire des outils.

Lorsque les hommes revinrent, Petit-Glaçon avait fabriqué des dizaines de couteaux et d'aiguilles.

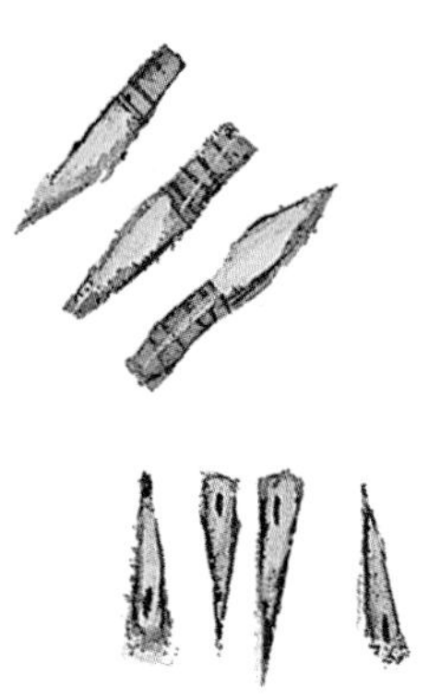

– Ramenons-le, dit le père de Petit-Glaçon. Il est habile de ses mains !

Mais le chef s'entêta :

– Pas question ! Nous partons chasser le renne pour deux lunes. S'il n'a pas tué de phoque pendant ce temps, il restera là définitivement !

Deux lunes,
c'est presque
deux mois.
C'est long,
très long quand
on est un petit garçon.
La mère de Petit-Glaçon se faisait
du souci. Elle décida d'aller le voir.
Petit-Glaçon était fou de joie :
il grilla pour elle son plus gros poisson
et lui offrit un beau peigne en os.

À partir de ce jour-là, Petit-Glaçon
eut souvent des visites :
les femmes et les enfants

lui apportaient
des moufles…

…des chaussons…

…un bonnet…

…et ils repartaient avec
les objets qu'il fabriquait.

Chapitre 3

Une nuit, les chasseurs rentrèrent mécontents : ils ramenaient très peu de rennes. Chacun en voulait la plus grosse part, et ce fut vite la bagarre ! Pendant que les hommes se battaient, les chiens dévorèrent tout le gibier. Au matin il n'y avait plus rien à manger...

– Comment
va-t-on
se nourrir ?
s'écrièrent les femmes.

– Si on demandait
à Petit-Glaçon,
il a peut-être du
poisson ? dit une voix
d'enfant.

Les femmes
partirent
aussitôt
et revinrent
avec de quoi
dîner.

Le lendemain, Petit-Glaçon arriva en poussant des montagnes de poissons dans un traîneau de sa fabrication.

Puis il se mit à chanter : des airs gais, des airs tristes, des chansons de neige et de vent.
Les hommes qui boudaient encore se mirent à fredonner… Et tout le monde finit par se réconcilier.

Le chef s'adressa à tous :

– Petit-Glaçon peut rester parmi nous ! Il a fait ses preuves.

Les parents de Petit-Glaçon étaient fiers, très fiers : les plus fiers de la banquise !

Petit-Glaçon secoua la tête :

– Je veux garder mon igloo là-bas, mais je reviendrai très souvent, c'est promis…

Petit-Glaçon embrassa tendrement ses parents.

Puis il s'éloigna, en fredonnant une chanson d'amour et de joie.

FIN

300, rue Léon-Joulin, 31101 Toulouse Cedex 9 – France
www.editionsmilan.com
Loi 49.956 du 16.07.1949 sur les publications destinées à la jeunesse.
Dépôt légal : 4e trimestre 2007
ISBN : 978-2-7459-0563-5
Imprimé en France par Fournié